Los Tres Pececitos y el Tiburón Feroz

KEN GEIST · JULIA GORTON

SCHOLASTIC
en español

LOS TRES PECECITOS

A MARTHA —K.G.

A MI ACUÁTICA IVY,
QUE HACE SU CASA CON TELAS,
A MI ACUÁTICO RALEIGH,
QUE HACE SU CASA CON MONOPATINES
Y A MI ACUÁTICO RUSSELL,
¡QUE HACE SU CASA CON MAGIA!

—J.G.

TIBURÓN FEROZ

Originally published in English as
The Three Little Fish and the Big Bad Shark

ISBN 13: 978-0-545-03311-4
ISBN 10: 0-545-03311-X

Text copyright © 2007 by Scholastic Inc.
Illustration copyright © 2007 by Julia Gorton
Translation copyright © 2007 by Scholastic Inc.

12 11 10 9 8 7 6 5 4 3 2 1   7 8 9 10 11 12/0

Printed in the Singapore
First Spanish printing, November 2007

POR **KEN GEIST**

ILUSTRADO POR **JULIA GORTON**

SCHOLASTIC INC.

NEW YORK TORONTO LONDON AUCKLAND SYDNEY
MEXICO CITY NEW DELHI HONG KONG BUENOS AIRES

Había una vez una mamá pez que tenía tres pececitos, Jim, Tim y Kim.

—Ha llegado el momento de que cada uno haga una casa en el fondo del mar —dijo la mamá.

EL PRIMER PECECITO, QUE SE LLAMABA **JIM**, SALIÓ NADANDO Y SE ENCONTRÓ CON UN CABALLITO DE MAR JUNTO A UNAS ALGAS.

—¿PUEDES DARME UNAS ALGAS PARA HACER UNA CASA?

CUANDO **JIM** TERMINÓ DE CONSTRUIR SU CASA DE ALGAS, OYÓ QUE EL **TIBURÓN FEROZ** LLAMABA A LA PUERTA.

—PECECITO, **PECECITO,** DÉJAME ENTRA...

EL POBRE PECECITO EMPEZÓ A TEMBLAR Y DIJO: —¡AY, NO, NO, AQUÍ NO PUEDES PASAR!

—ENTONCES TE ATACARÉ, TE MORDERÉ Y TU CASA COMERÉ —RUGIÓ EL TIBURÓN.

—PUEDES AYUDARME A HACER UNA CASA DE ARENA.

JIM y **TIM** IBAN A **DESCANSAR** EN LA **CASA** DE ARENA CUANDO **OYERON** QUE EL **TIBURÓN FEROZ** **LLAMABA** A LA PUERTA.

—**PECECITOS,** **PECECITOS,** **DÉJENME** **ENTRAR.**

LOS PECECITOS VALIENTES RESPONDIERON:

—¡AY, NO, NO, AQUÍ NO PUEDES PASAR!

—ENTONCES LOS ATACARÉ, LOS MORDERÉ Y SU CASA COMERÉ —RUGIÓ EL TIBURÓN.

LOS PECECITOS RESPONDIERON:

—¡AY, NO, NO, AQUÍ NO PUEDES PASAR!

—ENTONCES, LOS ATACARÉ, LOS MORDERÉ Y SU CASA COMERÉ —RUGIÓ EL TIBURÓN.

EL TIBURÓN FEROZ
ATACÓ Y MORDIÓ,
ATACÓ Y MORDIÓ

HASTA QUE SE LE CAYERON TODOS LOS DIENTES.

Y LOS TRES PECECITOS POR FIN ESTUVIERON A SALVO.